Pier Adolfo Tirindelli

ANDANTE E POLACCA

per violino e pianoforte | *for violin and piano*

a cura di | *edited by* Rina You

RICORDI

Traduzione inglese di | *English translation by* Avery Gosfield

Copyright © 2019 Casa Ricordi
via B. Crespi, 19 – 20159 Milano – Italy
Tutti i diritti riservati – All rights reserved

NR 142016
ISMN 979-0-0414-2016-5

PREFAZIONE

PREFACE

Compagno di studi di Puccini presso il Conservatorio di Milano, il compositore e violinista Pier Adolfo Tirindelli fu docente di violino (1884–1893) e direttore del Conservatorio di Venezia (1893–1895). Stabilitosi negli Stati Uniti, per ventidue anni fu docente di violino e direttore d'orchestra presso il Conservatorio di Cincinnati, nell'Ohio. Rientrato in patria, dedicò l'ultimo periodo della sua vita alla composizione, scrivendo brani vocali e strumentali, oltre ad alcune opere liriche.

L'edizione dell'*Andante e Polacca* per violino e pianoforte qui pubblicata è condotta sul manoscritto autografo, conservato presso la Biblioteca del Conservatorio di musica "S. Cecilia" di Roma.

Un'ispirata vena melodica, propria della cantabilità delle composizioni italiane tardoromantiche, caratterizza il pezzo, specie nella prima parte (che curiosamente non è un *Andante* come indicato nel titolo ma un *Largo espressivo*, come indicato nella partitura manoscritta). Il virtuosismo contraddistingue la *Polacca*: rapide scale, brillanti colpi d'arco e passaggi a doppie corde impegnano lo strumentista ad arco nella seconda e più estesa parte del brano.

Rappresentativo della letteratura violinistica italiana di fine Ottocento (il brano è stato composto nel 1874), questo pezzo è un importante tassello per la rivalutazione del compositore veneto. Il recupero di questa pagina avviene in un momento storico, quello attuale, particolarmente attento alla riscoperta di lavori composti in Italia negli anni a cavallo tra il diciannovesimo e il ventesimo secolo, di rado eseguiti nelle stagioni concertistiche, e che solo la promozione e la diffusione di edizioni a stampa e discografiche possono valorizzare.

Rina You

A classmate of Puccini at the Conservatory of Milan, the composer and violinist Pier Adolfo Tirindelli was a violin teacher at the Conservatory of Venice from 1884 to 1893 and served as its director from 1893 to 1895. After settling in the United States, he worked for twenty-two years as a professor of violin and orchestral conductor at the Conservatory of Cincinnati. After returning home to Italy, he dedicated the last part of his life to composition, writing vocal and instrumental pieces in addition to a few operas.

The edition of the Andante e Polacca *for violin and piano published here was realised from an autograph manuscript held in the library of the Conservatory of Santa Cecilia in Rome.*

An inspired melodic vein, with a cantability typical of Late Romantic Italian compositions, characterises the piece, especially in the first part (which, curiously enough, is not an Andante *as indicated in the title of the piece, but a* Largo espressivo, *as indicated in the manuscript score). The* Polacca *distinguishes itself for its virtuosity: rapid scales, brilliant bowings and open string passages keep the bowed-string player engaged during the second and longest part of the piece.*

Typical of Italian violin writing from the end of the nineteenth century (the work was composed in 1874) this piece is an important element for a re-evaluation of the Venetian composer. The recovery of this composition has occurred during a period which gives particular importance to the rediscovery of works composed in Italy around the turn of the twentieth century, rarely performed in concert series, which can only be fully appreciated through their promotion and dissemination in the form of musical editions and recordings.

Rina You

Pier Adolfo Tirindelli
ANDANTE E POLACCA
per violino e pianoforte | *for violin and piano*

Pier Adolfo Tirindelli
ANDANTE E POLACCA
per violino e pianoforte | *for violin and piano*

diteggiatura e arcate di | *fingering and bowing by* Giuliano Cavaliere

VIOLINO

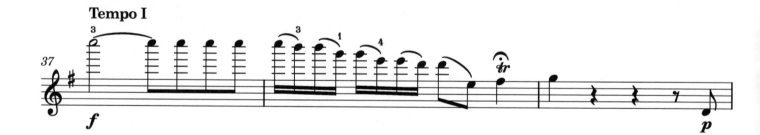

Allegro moderato

Allegretto. Tempo di polacca

Pesanti (al tallone)

con slancio

f

ottave spezzate (arpeggiate)

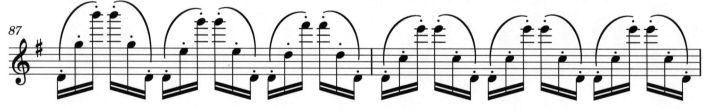

con forza e sciolte

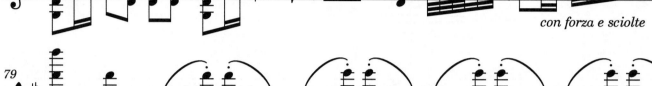

8

8

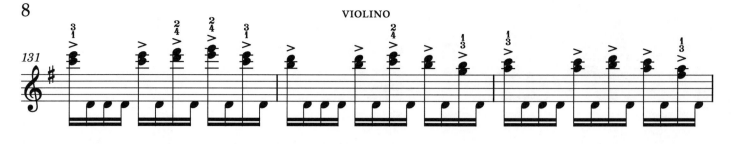

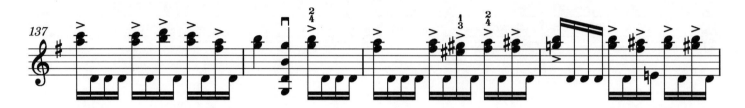

142016

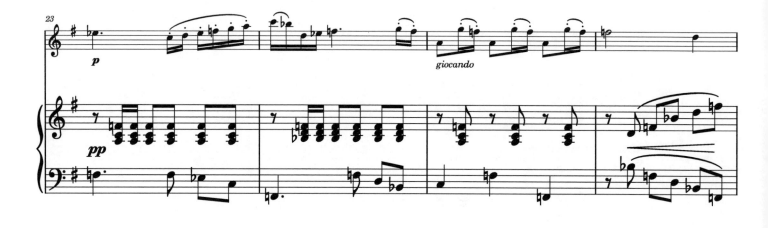

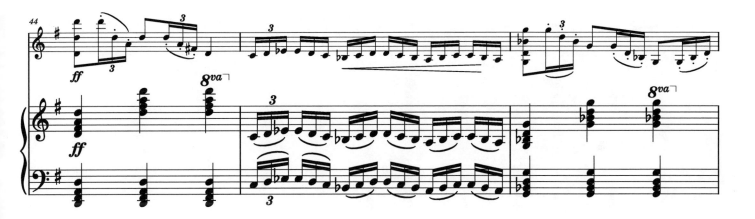

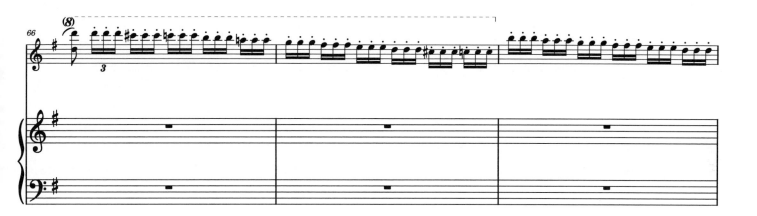

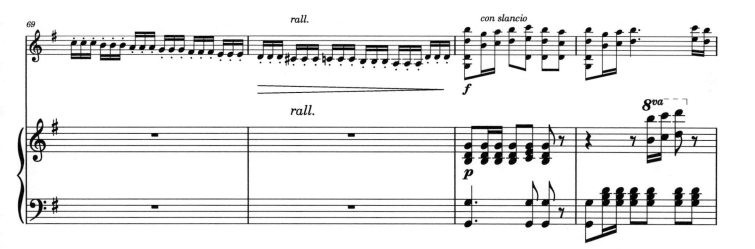

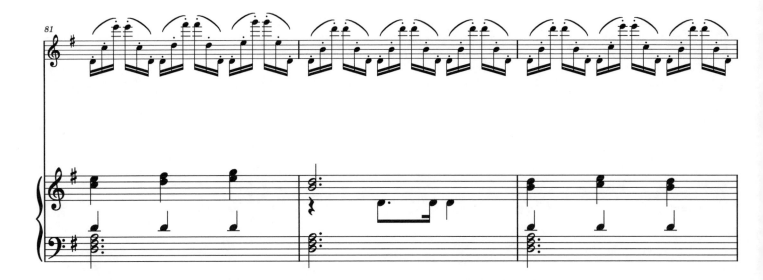

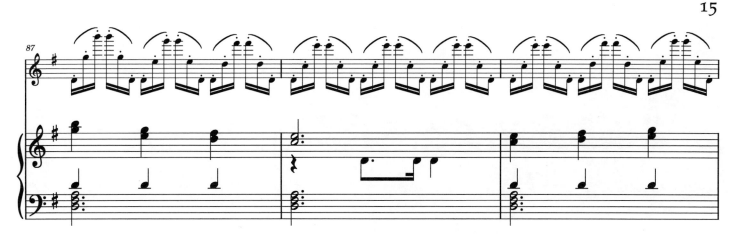

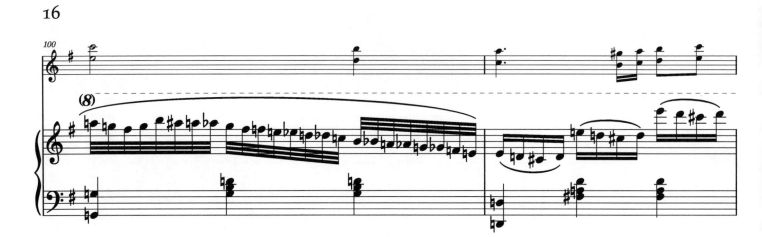

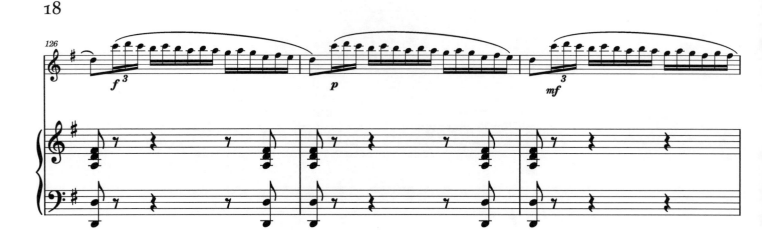

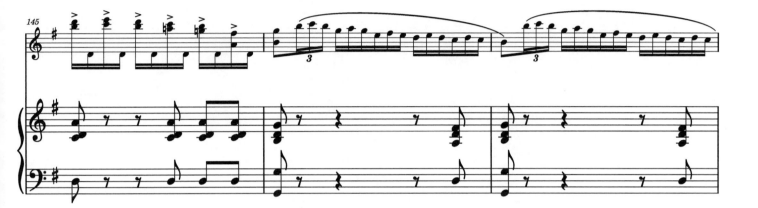